Gabriella Gendreau • Nahid Kazemi

LES MOTS D'EUNICE

À ma mère et mon père
qui veillent sur moi de là-haut. G. G.

TOUrne·Pierre

Eunice a sept ans. Elle construit des châteaux
avec ses yeux, ses mains. Elle semble s'envoler
lorsque ses bouclettes gigotent par-ci, par-là.
Des barrettes aux teintes pastel s'accrochent
à ses cheveux, tels de petits papillons qui virevoltent
avec elle. Ses pupilles scintillent sur sa peau foncée.

Eunice vient de quitter la Côte d'Ivoire.
Elle apprivoise peu à peu ce nouveau pays
qui lui tend la main.

À Montréal, elle habite avec
son papa, sa grand-mère, Mamie Doudou,
sa chatte Ombelle et son poisson rouge, Barbotine.
Mais Eunice ne sourit pas. Jamais.

Son sourire s'est égaré quelque part
à des kilomètres d'ici.

— Maman, pourquoi tu ne viens pas
avec nous?

— Je ne peux pas ma chérie. Mais je viendrai
bientôt. Bientôt.

— Promis maman?

— Oui ma petite Eunice d'amour, promis.

Eunice s'est envolée dans un avion immense,
et a voyagé au travers des nuages. Mais sa
maman est restée là-bas. Son petit cœur s'est
brisé en minuscules morceaux, tombés au
fond de l'eau.

Plus un seul mot ne s'échappe
de la bouche d'Eunice. Sa voix ?
Personne ne la connaît. Les amis
de l'école s'inquiètent. Ils se
questionnent. Certains se moquent
d'elle. D'autres ne semblent pas
la voir. Eunice est silencieuse
comme une chenille dans son cocon.

Eunice ne dit rien de sa tristesse. Son petit cœur est habité
par le vide. Elle effleure les pages de dizaines de livres.
Les images lui murmurent de petites histoires.
Parfois, elle écoute le vent capturer son cerf-volant.
Il semble heureux de danser tout là-haut.
Eunice ne lui sourit pas en retour.
Elle se contente de le suivre des yeux.

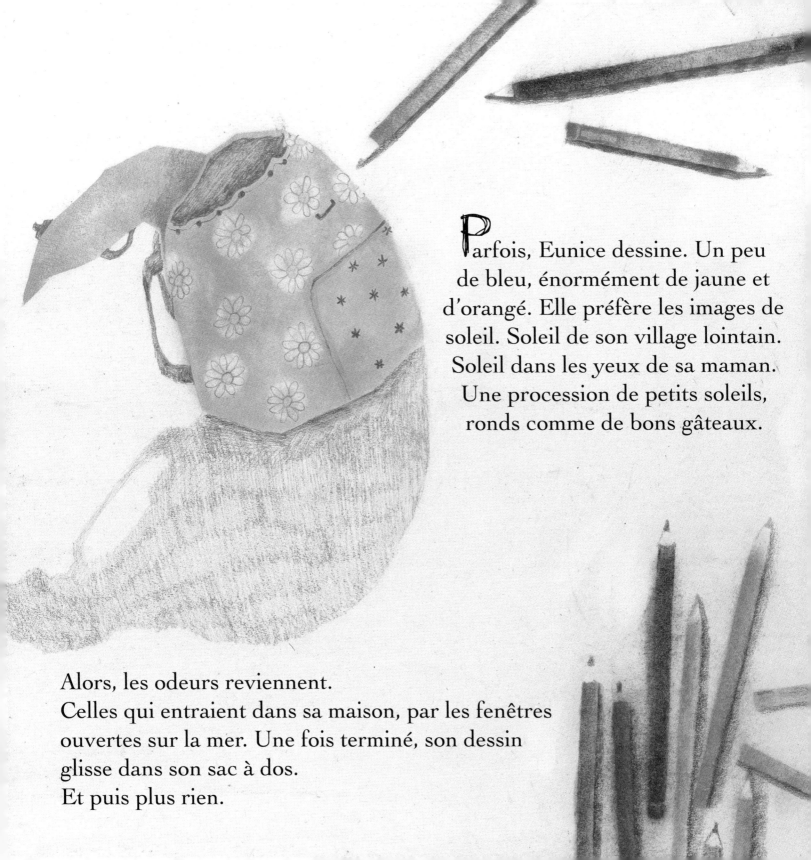

Parfois, Eunice dessine. Un peu de bleu, énormément de jaune et d'orangé. Elle préfère les images de soleil. Soleil de son village lointain. Soleil dans les yeux de sa maman. Une procession de petits soleils, ronds comme de bons gâteaux.

Alors, les odeurs reviennent.
Celles qui entraient dans sa maison, par les fenêtres ouvertes sur la mer. Une fois terminé, son dessin glisse dans son sac à dos.
Et puis plus rien.

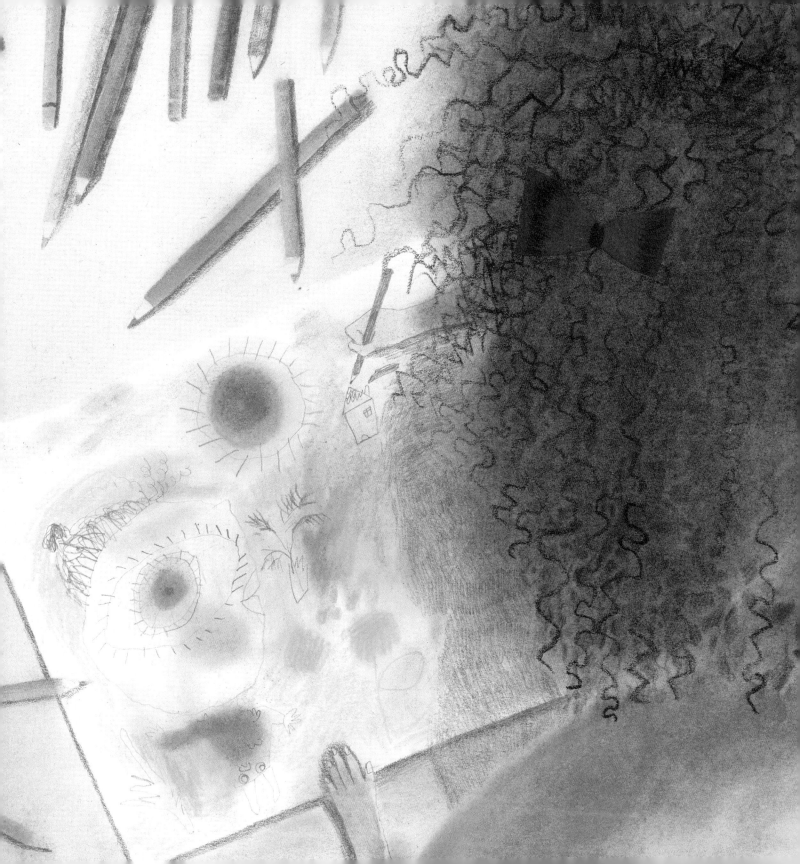

Le soir, son papa chante. Eunice retrouve les mélodies de son village lointain.

Puis quand la lune se penche un peu plus près, Mamie Doudou raconte une histoire. Grâce aux récits de sa grand-maman, Eunice voit bien au-delà de l'Atlantique. Et elle danse avec les étoiles filantes.

Ensemble, ils ferment les yeux
et rêvent au sourire de maman.
« *Mi klôa, mam'ni,
mam'ni sampa…* »*

**Mots en Baoulé, une des langues
parlées en Côte-d'Ivoire, signifiant :
Je t'aime maman, maman soleil.*

Les journées s'étirent. Eunice rentre de l'école. Dans ses oreilles, un concert de mots multicolores : arc-en-ciel, carrousel, caramel primevère, violoncelle… Les mots se bousculent dans sa tête et veulent sortir. Eunice voudrait bien les attraper, les dorloter, les chanter ; elle essaie si fort.

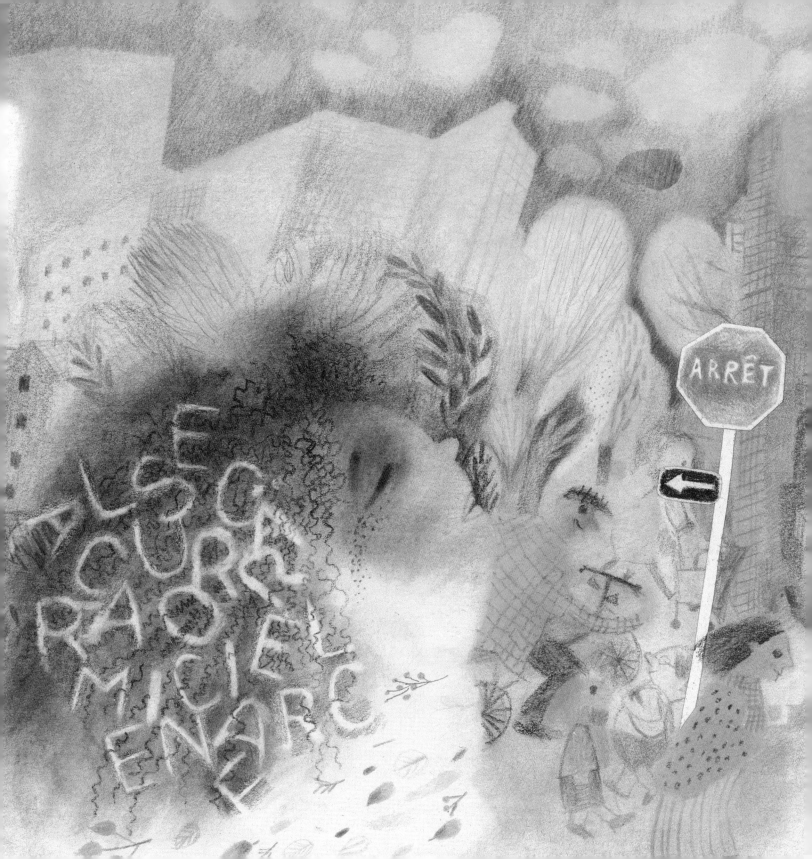

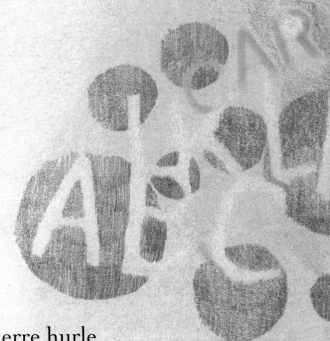

Alors, c'est l'orage qui s'élève. Le tonnerre hurle
avec rage dans la gorge d'Eunice. Elle ouvre la bouche.
Mais rien. Les mots ne parlent pas. Ils restent coincés,
prisonniers de son ventre. Les mots éclaboussent
maintenant les murs de sa chambre, la maison, l'école,
les trottoirs en laissant des flaques de boue noire.
Les larmes roulent. Déboulent.

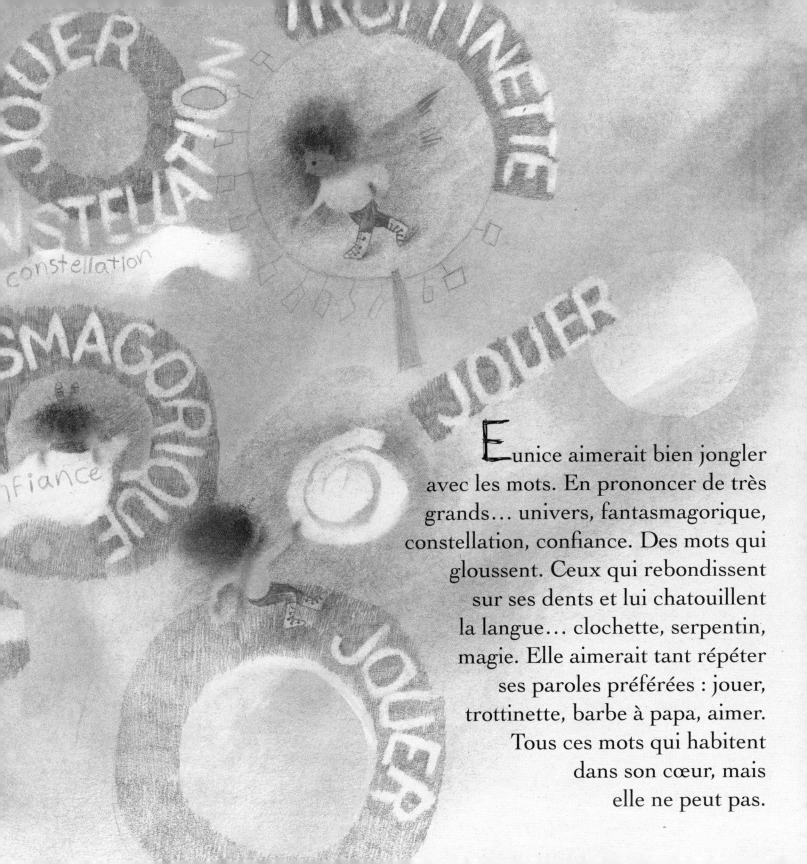

Eunice aimerait bien jongler avec les mots. En prononcer de très grands… univers, fantasmagorique, constellation, confiance. Des mots qui gloussent. Ceux qui rebondissent sur ses dents et lui chatouillent la langue… clochette, serpentin, magie. Elle aimerait tant répéter ses paroles préférées : jouer, trottinette, barbe à papa, aimer. Tous ces mots qui habitent dans son cœur, mais elle ne peut pas.

Un matin, Eunice se réveille plus tôt.
Les sons à l'extérieur sonnent plus fort
qu'à l'habitude. Elle entend des voix.
Un écho lointain capte son attention.
Eunice se redresse dans son lit et retient
son souffle.
« Peut-être que je rêve ? » se dit-elle.
Les rayons de soleil font des bonds
dans le petit cœur d'Eunice.

Puis elle entend un murmure.

— Bonjour ma douce Eunice, comme tu es jolie
dans la lumière du jour.

Eunice prend une grande inspiration. D'un seul élan,
elle s'entend répondre :

— Bonjour…

D'abord fragile, puis confiante, rieuse, éclatante, sa voix se libère.

— Bonjour, bonjour, bonjour !!!! Tu es là !!!!!
Maman tu es arrivée !!!!!

Tout explose autour d'Eunice.
Une farandole de bulles sonores habitées
par des mots délicieux et doux. Elle goûte tous ces mots,
sucrés comme des bonbons, blottie dans les bras parfumés
de sa maman. Entourée par sa famille réunie, Eunice rayonne.

Eunice part pour l'école, toute légère.
Ses yeux rient. Ses bouclettes valsent.
Les horribles flaques noires ont disparu.
Dans le ciel, des nuages moelleux
la regardent.

Les rues s'agitent et bourdonnent.
Le monde autour brille. Eunice se répète
à voix haute des mots sauvages
et fous, remplis d'espoir. Des mots d'amour.
Ceux qu'elle rêvait de rencontrer
sur son chemin.

Ce matin, Eunice sourit.

Éditrice : Angèle Delaunois
Édition électronique : Hélène Meunier
Éditrice adjointe : Lucile de Pesloüan
Correction : Aline Noguès

© 2017 : Gabriella Gendreau, Nahid Kazemi
et les Éditions de l'Isatis

Dépôt légal : 3ᵉ trimestre 2017

Catalogage avant publication de Bibliothèque et Archives
nationales du Québec et Bibliothèque et Archives Canada

Gendreau, Gabriella

Les mots d'Eunice

(Tourne-pierre ; 52)
Pour enfants de 6 ans et plus.
Publié en formats imprimé(s) et électronique(s).

ISBN 978-2-924769-08-9 (couverture rigide)
ISBN 978-2-924769-09-6 (PDF)

I. Kazemi, Nahid, 1977-   . II. Titre. III. Collection : Tourne-
pierre ; 52.

PS8613.E533M67 2017   jC843'.6   C2017-941861-0
PS9613.E533M67 2017   C2017-941862-9

Nous remercions le Conseil des arts du Canada
de l'aide accordée à notre programme de publication
et la SODEC pour son appui financier en vertu du Programme
d'aide aux entreprises du livre et de l'édition spécialisée et du
programme de crédit d'impôt pour l'édition de livres.

ÉDITIONS DE L'ISATIS
4829, avenue Victoria
Montréal – QC - H3W 2M9
www.editionsdelisatis.com
Imprimé au Canada

Fiche d'activités pédagogiques disponible sur notre site
www.editionsdelisatis.com à la page du livre

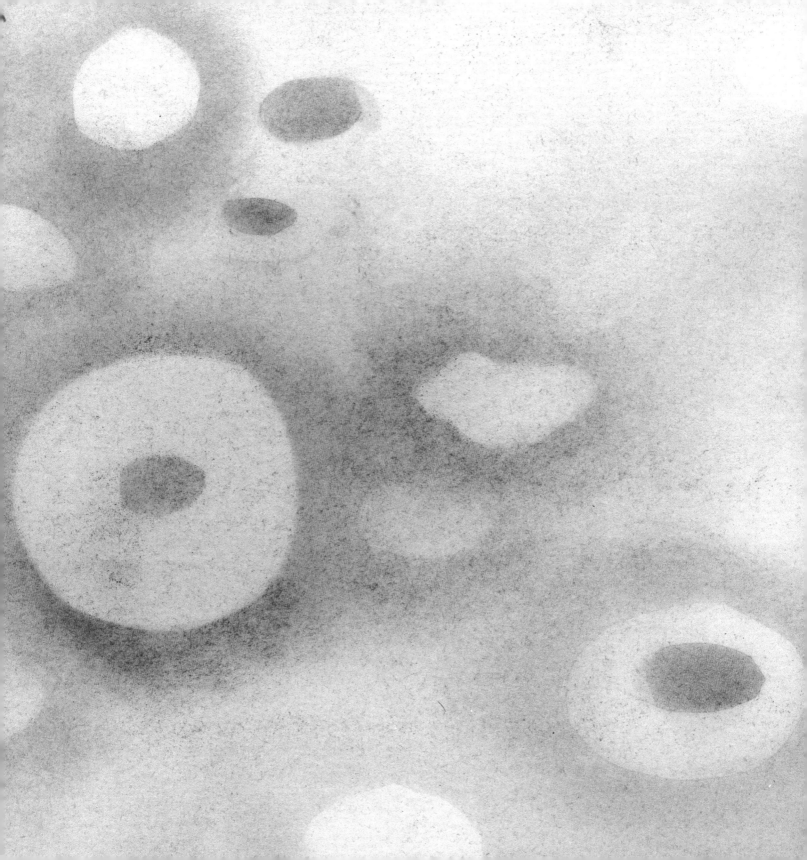